安房直子 絵ぶんこ 8

# 海《うみ》の館《やかた》のひらめ

安房直子 文　くの まり 絵

# 1

島田《しまだ》しまおは、レストランアカシヤで働《はたら》いています。

駅前《えきまえ》の交叉点《こうさてん》から、右《みぎ》へまがって三軒目《げんめ》、屋根《やね》に、大《おお》きなにわとりのかざりのついているレストランの調理場《ちょうりば》で、朝《あさ》から晩《ばん》まで、皿洗《さらあら》いと野菜洗《やさいあら》いをしています。

としは、もうすぐ二十二。

子《こ》どものころから、つくることと、食《た》べることが大《だい》すきで、なんとか一人前《いちにんまえ》の料理人《りょうりにん》になりたいと、十六のときに、ひとりでこの町《まち》に出《で》てきたのでした。それからというもの、しまおは、このレストランの、せまい屋根裏《やねうら》べやに寝起《ねお》きして、いっしょうけんめい働《はたら》いてきました。人《ひと》のいやがる、どんな仕事《しごと》も、よろこんでしました。毎朝《まいあさ》、山《やま》ほどのたまねぎをきざむ仕事《しごと》から、皿洗《さらあら》いに、なべ洗《あら》い、流《なが》

Acacia

しみがきに、ごみのそうじまで。

それなのに、島田《しまだ》しまおは、いつまでたっても、いちばん下《した》っぱでした。

レストランアカシヤには、しまおのほかに、五人《にん》の料理人《りょうりにん》が働《はたら》いています。みんなおそろいの白《しろ》い帽子《ぼうし》をかぶって、のりのきいた、白《しろ》い服《ふく》を着《き》ています。けれども、しまおとおないどしの山下《やました》くんは、もうとっくに、オムレツの係《かかり》をしていましたし、しまおより、ずっとあとからはいってきた岡本《おかもと》くんも、スープを、ひとりでつくらされていました。それなのに、しまおばかりが、いつまでたっても下働《したばたら》

きなのは、たぶん、〈料理学校《りょうりがっこう》の卒業証《そつぎょうしょう》書《しょ》〉を持《も》っていなかったからでしょう。それから、ばか正直《しょうじき》で、ゆうずうがきかなくて、人《ひと》のきげんをとるのがとてもへただったからかもしれません。

運《うん》がわるいということもありました。しまおの料理長《りょうりちょう》は、ひどくいじのわるい人《ひと》で、料理《りょうり》のこつは、なにひとつ教《おし》えてくれませんでした。なべに残《のこ》ったソースを、味見《あじみ》させるのさえ、いやがりました。そのくせ、しまおが失敗《しっぱい》するたびに、こんなことをいうのでした。

「きみはもう、やめたらどうだい。海《うみ》の

館《やかた》のひらめにでも見込《みこ》まれないかぎり、一人前《いちにんまえ》になるのは、とてもむりだよ。」

世《よ》の中《なか》、しんぼうして、いっしょうけんめい働《はたら》きさえすれば、きっとなんとかなると信《しん》じてきたしまおは、このごろすっかり、気《き》がめいっていました。

(こんなことじゃ、ぼくは、一生《いっしょう》うだつがあがらないかもしれないなあ……。)

暗《くら》い気持《きも》ちで働《はたら》くものですから、しまおは、このごろよく、指《ゆび》にけがをしたり、コップを割《わ》ったり、ソースのなべを、ひっくりかえしたりしました。そのたびに、料理長《りょうりちょう》は、しまおを、どやしつけ、仲間《なかま》は、悪口《わるくち》をいいました。

「だれかさんは、ほんとに役《やく》たたずだよ。」

ある日《ひ》、岡本《おかもと》くんが、レモンをくし型《がた》に切《き》りながら、あてこすりました。

「まったくだよ。頭《あたま》のまわらないやつは、いくらがむしゃらに働《はたら》いたって、だめだねえ。がんばれば、がんばるほど、失敗《しっぱい》するよ。」

と、山下《やました》くんが、調理場《ちょうりば》じゅうに聞《き》こえる大《おお》きな声《こえ》で、あいづちをうち、料理長《りょうりちょう》は、なにも聞《き》こえないふりをして、口笛《くちぶえ》を吹《ふ》いていました。

くやしくて、しまおは、顔《かお》がまっ赤《か》になりました。涙《なみだ》がでそうなのをがまんして、かがみこんで、こぼれたソースのそうじをしました。

もう、この店《みせ》は、やめよう。やめて、ほかのところで、やりなおそう……そう、

心《こころ》に決《き》めかけた、そのときです。

「しんぼう、しんぼう。」

と、だれかがいいました。

「え？」

しまおは、立《た》ちあがって、まわりを見《み》まわしましたが、もうだれも、しまおに話《はな》しかけてなどいません。聞《き》こえてくるのは、換気扇《かんきせん》のうなる音《おと》と、なべの油《あぶら》の音《おと》ばかりです。もういちど、しまおは、かがみこんで、ぞうきんを持《も》ちました。

するとまた、小《ちい》さな声《こえ》がするのです。

「わたしが力《ちから》になってあげますから、もすこし、ここで、しんぼうなさい。」

なんだか、死《し》んだ父《とう》さんの声《こえ》ににてるなと思《おも》ったとき、しまおは、流《なが》しの下《した》の氷《こおり》の上《うえ》に寝《ね》ている一匹《ぴき》のひらめを見《み》つけたのです。いいえ、ひらめと、目《め》があったのです。なんと、ひらめは、まだ生《い》きていたのですから。その小《ちい》さな目《め》は、黒《くろ》ぐろと光《ひか》って、口《くち》は、ぱくぱくと動《うご》いていました。その口《くち》で、ひらめは、こんなことをいいました。

「わたしは、もうすぐ料理《りょうり》されて、食《た》べられてしまいますけどね、骨《ほね》だけになっても、ちゃぁんと生《い》きています。だから、わたしの骨《ほね》を、ごみバケツなんかにすてないでください。わたしの骨《ほね》を、だいじにしてくれたら、わたしはきっと、あなたの力《ちから》になります。あなたが、ひとり立《だ》ちできるところまで、きっとみちびいてあげます。」

「…………。」

しまおは、びっくりして、ぞうきんを、落《お》としてしまいました。それから、小《ちい》さな声《こえ》で、

「骨《ほね》をだいじにするってことは、あの……。」

と、いいかけますと、ひらめは、きっぱりと答《こた》えました。

「つまりね、わたしの骨《ほね》を水《みず》にかえしてください。」

「水《みず》にかえす？」

「そう。コップにでも入《い》れてください。コップの中《なか》には、海《うみ》の水《みず》を、なみなみと入《い》れてほしいけれど、それがむりなら、塩《しお》水《みず》を入《い》れてください。わかりましたか？　わかったら、あっちへ行《い》って働《はたら》いてください。ほら、モルネソースの用意《ようい》が、もうできていますよ。ぼくの出番《でばん》です。」

このとき、料理長《りょうりちょう》がどなりました。

「島田《しまだ》くん、いつまで床《ゆか》のそうじをしてるんだ。さっさと、そこのひらめを持《も》ってこないか。」

しまおは、肩《かた》をぴくりとさせて、ひらめのしっぽをつかむと、流《なが》しに運《はこ》びました。料理長《りょうりちょう》は、ひらめに水《みず》をかけながら、大《おお》きな声《こえ》で、ほうれんそうは、洗《あら》ってあるかと、聞《き》きました。

「はい、洗《あら》いました。」

緊張《きんちょう》して、ひどくまじめな顔《かお》つきで、しまおは、答《こた》えました。それから、塩《しお》と、コショウと、辛口《からくち》の白《しろ》ぶどう酒《しゅ》を、調理台《ちょうりだい》に運《はこ》びました。オーブンはもう、百六十度《ど》に、熱《ねっ》してあります。バターをぬった、焼《や》き皿《ざら》の準備《じゅんび》も、できています。

しまおは、調理台《ちょうりだい》のすみっこで、パセリをきざみながら、さっきのひらめのことばを、心《こころ》の中《なか》で、いくども、くりかえしていました。

「島田《しまだ》くん、パセリがすんだら、じゃがいもの皮《かわ》むきだ。」

うしろで、岡本《おかもと》くんが、どなりました。すると、山下《やました》くんが、つづけていいました。

「早《はや》くしてくれよ。エビの下《した》ごしらえも、まだじゃないか。きょうは日曜日《にちようび》でいそがしいんだから、なんでも手早《てばや》くやらなきゃだめだよ。」

しまおは、

「わかったわかった。」

と、うなずいて、せっせと働《はたら》きました。どろだらけのじゃがいもを洗《あら》いながら、しまおは、やっぱりひらめのことばを、心《こころ》の中《なか》でくりかえしました。

（ひとり立《だ》ち、ひとり立《だ》ち）と。

すると、ふしぎに、心《こころ》が明《あか》るくなってくるのでした。じゃがいもの皮《かわ》をむくあいだも、小《こ》エビのからをむくあいだも、しまおは、さっきのひらめに、気《き》をくばっていました。ひらめに、塩《しお》とコショウがふられ、焼《や》き皿《ざら》に入《い》れられ、ソースがかけられてオーブンに入《い》れられるところまで、ちゃんと見《み》とどけました。

やがて、うす茶色《ちゃいろ》のソースにつつまれて焼《や》きあがったひらめの料理《りょうり》が、オーブンからとりだされました。それが、大《おお》きなまっ白《しろ》いお皿《さら》にのせられ、パセリをふられて、客室《きゃくしつ》に消《き》えていくのを、しまおは、胸《むね》をドキドキさせて見《み》おくったのです。

(さあ、このあとが、本番《ほんばん》だ。)

と、しまおは、思《おも》いました。ひらめのお皿《さら》が、客室《きゃくしつ》から、もどってくるまでが、しまおには、どんなに長《なが》く思《おも》われたかしれません。

よごれたまな板《いた》や、なべや、ボウルを洗《あら》いながら、しまおは、ちらちらと、客《きゃく》室《しつ》へつづくドアに、気《き》をくばっていました。すると、三十分《ぷん》ほどで、よごれた食《しょっ》器《き》が、どっと、もどってきました。しまおは、かけよって、そのなかから、あのひらめの骨《ほね》を見《み》つけると、すばやくふきんにつつんで、ポケットに入《い》れました。白《しろ》い服《ふく》のポケットが、思《おも》いがけなく大《おお》きかったことを、しまおは、ひそかに感《かん》謝《しゃ》しました。ひらめの骨《ほね》は、頭《あたま》もしっぽもついたまま、ポケットの中《なか》に、きれいにおさまったのでしたから。

# 2

その夜《よ》、仕事《しごと》が、すっかりおわってから、しまおは、おどる足《あし》どりで、屋根裏《やねうら》への階段《かいだん》をのぼりました。

屋根裏《やねうら》の、天井《てんじょう》のかしげた小《ちい》さなへやに、しまおは、ひとりで、寝起《ねお》きしていました。レストランアカシヤのほかの料理人《りょうりにん》は、みんな通《かよ》いでした。住《す》みこみで働《はたら》いているのは、しまおひとりでしたから、しまおは、レストランの留守番《るすばん》の役目《やくめ》もかねていて、いつでも、店《みせ》の支配人《しはいにん》に、「戸《と》じまりは、きみの仕事《しごと》だ」と、いわれてきたのでした。

大《おお》きめのガラスのコップに、澄《す》んだ水《みず》を、なみなみとそそぎ、調理場《ちょうりば》から、こっそり持《も》ってきた塩《しお》を、ひとつまみ、水《みず》の中《なか》に入《い》れると、しまおは、おごそかな儀《ぎ》式《しき》でもはじめるように、ゆっくりと、魚《さかな》の骨《ほね》を、ポケットからとりだしました。

「ひらめさん。」

ふきんをひらきながら、しまおは、そっと呼《よ》んでみました。

「ひらめさん、コップの用意《ようい》ができたよ。さあ、水《みず》にかえしてあげるよ。」

そういいながら、しまおは、ひらめの骨《ほね》を、しっぽからそっと、コップの中《なか》に入《い》れました。焼《や》かれて死《し》んだ、ひらめの白《しろ》い目《め》が、水《みず》に入《い》れると、たちまち

COOK
FRESH FISH
FRESH MEAT

生《い》き生《い》きと輝《かがや》きはじめたことに、しまおは、おどろきました。そのうえ、ひらめは、口《くち》を静《しず》かに動《うご》かして、

「ああ、やっと生《い》きかえった。」

と、いったのです。そこで、しまおは、たずねました。

「塩《しお》のぐあいは、どうですか？　海《うみ》の水《みず》とは、だいぶちがうでしょう？」

すると、骨《ほね》だけの魚《さかな》は、

「まあ、こんなところで、しかたないでしょう。いずれ、わたしの役目《やくめ》がおわったら、海《うみ》へかえしてくださいよ。」

と、いいました。

「役目《やくめ》？」

「おや、わすれちゃいけませんねえ。さっきもいったでしょ。あなたを一《いち》人前《にんまえ》の料理人《りょうりにん》にして、店《みせ》を一軒《けん》もたせてあげるってことですよ。」

「でも、そんなこと……ほんとに、できるだろうか……ぼくは、まだ下働《したばたら》き

で……。」

しまおが、暗《くら》い顔《かお》をしますと、ひらめは、目《め》をキラキラさせながら、こういいました。

「わたしは、さっき、調理場《ちょうりば》の氷《こおり》の上《うえ》で、あなたの働《はたら》きぶりを見《み》ていましてね、すっかり気《き》に入《い》ったんです。正直《しょうじき》で、まじめなところが、なによりです。そんな人間《にんげん》が、そんばかりしているのが、わたしには、がまんできませんでねえ……。」

しまおは、ふっと胸《むね》があつくなりました。もう長《なが》いあいだ、そんなあたたかいことばは、聞《き》いたことがなかったのです。

ひらめは、窓《まど》のむこうの暗《くら》い夜空《よぞら》をながめながら、話《はなし》をつづけました。

「あなたが、ひとり立《だ》ちできるところまで、わたしがなんとかみちびいてあげますからね、そのさきは、ひとりでやってみてくださいよ。」

しまおは、かしこまって、うなずきました。するとひらめは、

「まず、店《みせ》を一軒手《けんて》に入《い》れることですね。使《つか》いよい調理場《ちょうりば》つきの、小《ちい》さい店《みせ》がいい。」

と、いいました。

「店《みせ》だって！」

しまおはあきれて、思《おも》わず大《おお》きな声《こえ》をあげました。

「ぼ、ぼくは、そんなお金《かね》、持《も》ってないよ。いいかい、ぼくの財産《ざいさん》は、これっきりなんだから。」

しまおは、おしいれのトランクの中《なか》から、預金通帳《よきんつうちょう》をだしてきて、ひらいてみせました。この店《みせ》に働《はたら》きにきてから、受《う》けとった給料《きゅうりょう》を、しまおは、むだづかいせず、きちんと、たくわえていましたが、それでも店《みせ》一軒手《けんて》に入《い》れる金額《きんがく》には、

とうていおよびませんでした。ところが、魚《さかな》は、こともなげに、

「心配《しんぱい》いりません。」

と、いうのです。

「それを持《も》って、すずかけ通《どお》りの三十八番地《ばんち》に行《い》ってごらんなさい。いま、店《みせ》が一軒《けん》売《う》りにでてますからね。あれは、やっぱり、レストランですよ。あすこに、おやじさんが、仕事《しごと》にあきちゃって、売《う》るところです。あなたは、その貯金《ちょきん》をぜんぶ、おやじさんにわたして、残《のこ》りは、かならず来年《らいねん》はらいますっていってごらんなさい。」

「そんなかんたんなわけにはいかないよ。」

しまおは、口《くち》をとがらせました。このせちがらい世《よ》の中《なか》で、いったいだれが、ひとりぽっちの若者《わかもの》の、むしのいい願《ねが》いをきいてくれるでしょうか。しまおが、ため息《いき》をつきますと、魚《さかな》は、ふいに、こわい声《こえ》をだしました。

「わたしを信《しん》じなければ、なにひとつ実現《じつげん》しませんよ。」

その目《め》は、とてもきびしく光《ひか》っていましたから、しまおは、あわてて、いくども、うなずきました。魚《さかな》は、きびしいひくい声《こえ》でつづけました。

「もしも、それでうまくいかないようなら、その店《みせ》の持《も》ちぬしに、ひとこと、こういってごらんなさい。『ぼくには、海《うみ》の館《やかた》のひらめがついていますから、けっしてそんはおかけしません』って。」

しまおは、魚《さかな》のことばを、そっとくりかえしてみました。

「ぼくには、海《うみ》の館《やかた》のひらめがついていますから、けっしてそんはおかけしません……。」

すると、ふしぎなことに、しまおの心《こころ》は、すっかり明《あか》るくなり、力《ちから》がわいてきたのです。なにからなにまで、うまくゆくような気《き》がしてきたのでした。

その夜《よ》、しまおは、ひらめのことばを、いくどもくりかえしながら、眠《ねむ》りにつきました。

# 3

　つぎの晩《ばん》、調理場《ちょうりば》の仕事《しごと》が、すっかりおわってから、しまおは、すずかけ通《どお》りにでかけてゆきました。上着《うわぎ》の内《うち》ポケットには、昼休《ひるやす》みに銀行《ぎんこう》からおろしたお金《かね》がはいっていました。

「すずかけ通《どお》り、三十八番地《ばんち》。」

と、しまおは、つぶやきました。

　夜《よる》の九時《じ》をまわったすずかけ通《どお》りは、もう人影《ひとかげ》も、まばらです。酒場《さかば》のネオンだけが赤《あか》くともって、地下《ちか》へおりる、ほそい階段《かいだん》の下《した》から、よっぱらいのわめき声《ごえ》が聞《き》こえてくる道《みち》を、しまおは、注意《ちゅうい》ぶかく歩《ある》いてゆきました。すると、〈売《う》り店《みせ》〉というはり紙《がみ》が、白《しろ》くひらひらしている建物《たてもの》の前《まえ》に出《で》ました。しぶい茶色《ちゃいろ》のドアの、レストランふうの家《いえ》です。

「ここだ、ここだ。」

しまおは、そのドアを、そっとノックしてみました。

返事《へんじ》がないので、もういちどノックしますと、内側《うちがわ》から、かぎをあける音《おと》がして、ふとって頭《あたま》のはげた男《おとこ》が、顔《かお》をだしました。

「この店《みせ》、お売《う》りになるんですか……。」

しまおは、おずおずと、たずねました。ふとった男《おとこ》は、うなずきました。

「そんなら、ぜひ、ぼくにゆずってください。ぼくはいま、レストランアカシヤで働《はたら》いていますけれど、そのうち、独立《どくりつ》したいと思《おも》っているんです。」

「ほう、レストランアカシヤ、あそこは、一流《いちりゅう》だ。」

男《おとこ》は、ドアを大《おお》きくあけました。それから、しまおを、自分《じぶん》の店《みせ》の中《なか》に入《い》れました。

それは、ほんとうに、古《ふる》い小《ちい》さな店《みせ》でしたが、テーブルもいすも照明《しょうめい》も、なかなか趣味《しゅみ》よくととのっていました。しまおは、入《い》り口《ぐち》にいちばん近《ちか》いいすにこしかけて、ポケットから、お金《かね》のはいった封筒《ふうとう》をとりだすと、ひと息《いき》にいいました。

「ぼくは、いま、これだけお金《かね》を持《も》っています。残《のこ》りは、来年《らいねん》かならずおはらいしますから、この店《みせ》、ぼくに売《う》ってもらえないでしょうか。」

「………。」

男《おとこ》はあきれて、穴《あな》のあくほど、しまおの顔《かお》を見《み》つめました。それから、

「いきなり、そんなことといわれたって……。」

と、口《くち》をとがらせましたが、すぐ思《おも》いなおしたように、

「で、いくら持《も》ってるんだね。」

と、たずねました。そこで、しまおは答《こた》えました。

「レストランアカシヤでもらった、ぼくの六年《ねん》ぶんの給料《きゅうりょう》です。どうぞかぞえてみてください。」

男《おとこ》は、しぶしぶ封筒《ふうとう》からお金《かね》をとりだして、かぞえはじめましたが、すっかりかぞえおわらないうちに、

「ぜんぜんたりないじゃないか。残《のこ》りは来年《らいねん》だなんて、そんないんちきは、とお

らないよ。」

といいました。そこで、しまおは、大《おお》きく息《いき》をすって、きのう魚《さかな》に教《おし》えてもらっ

たことばを、ひと息《いき》に吐《は》きだしたのです。

「ぼくには、海《うみ》の館《やかた》のひらめがついていますから、けっしてそんはおかけしません。」

すると、どうでしょう。男《おとこ》の顔《かお》は、たちまち青《あお》くなり、それから、みるみるうちに、赤《あか》くなりました。

「なんだって……。」

ひくい声《こえ》でうなるようにつぶやくと、男《おとこ》は、しまおの顔《かお》を、まじまじと見《み》つめました。

「海《うみ》の館《やかた》のひらめと、あんたは、知《し》りあいかい？」

しまおは、うなずきました。すると男《おとこ》は、たのもしそうに、しまおを見《み》つめて、

「そりゃ、たいしたもんだ。」

と、いったのです。

「海《うみ》の館《やかた》のひらめの話《はなし》なら、むかあし、わしのじいさんから聞《き》いたっけ。あれは、何百年《なんびゃくねん》に一度《ど》しか手《て》にはいらない、ふしぎな魚《さかな》だ。死《し》んでも死《し》んでも生《い》きかえる

すばらしい魚《さかな》だ。あれに見込《みこ》まれたものは、とびきりの果報者《かほうもの》だという話《はなし》さ。あんたは、たいしたもんだねえ……その幸運《こううん》に、わしも、あやかりたいもんだ。」

男《おとこ》は、すっかり興奮《こうふん》して、ひとりでべらべらしゃべりまくると、奥《おく》のへやから、ペンと書類《しょるい》をだしてきました。

「わしも、料理人《りょうりにん》のはしくれだ。海《うみ》の館《やかた》のひらめを信《しん》じて、この店《みせ》、あんたに売《う》ってあげよう。残《のこ》りの金《かね》は、来年《らいねん》じゅうに、返《かえ》してくれればいい、さあ、ここに、サインしなさい。」

こうして、たちまちのうちに、しまおは、一軒《けん》の店《みせ》を持《も》ったのです。

息《いき》せききって、へやに帰《かえ》って、しまおは、コップの中《なか》のひらめに、そのことを話《はな》しました。すると、ひらめは、こともなげに、いったのです。

「それじゃ、こんどは、つぎの仕事《しごと》です。」

「…………。」

「店《みせ》を一軒《けん》持《も》ったからには、あんたはこれから、いそいで料理《りょうり》をおぼえなければいけません。ほかのどのレストランにもない、とびきりのメニューを、そろえなければ、いけません。いいですか、これから毎晩《まいばん》、わたしがつくり方《かた》を教《おし》えますからね、いっしょうけんめい、聞《き》いてくださいよ。そして、おぼえた料理《りょうり》は、すぐつくってみることです。」

「でも……いったい、どこで……。」

しまおは、ためらいました。レストランアカシヤの調理場《ちょうりば》を、かってに使《つか》うなんてことは、とうてい考《かんが》えられません。すると、ひらめは、いいました。

「なにをいってるんです。たったいま手《て》に入《い》れた、あなたの店《みせ》があるでしょう？　あすこにはちゃんと調理場《ちょうりば》があって、おまけに、なべでも、ほうちょうでも、必《ひつ》要《よう》なものは、ちゃんとそろっているでしょう？　いいですか、新《あたら》しい給料《きゅうりょう》をも

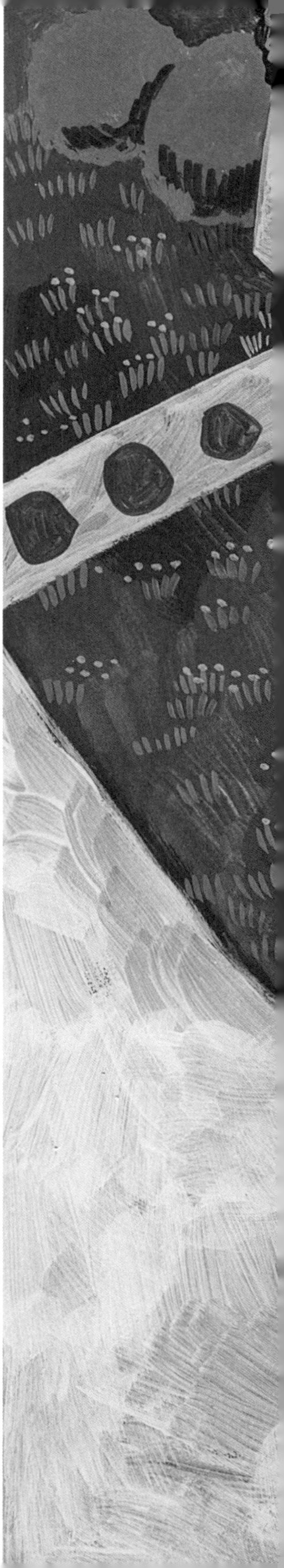

らったら――ちょうど、あしたですね――さっそくそれで、料理《りょうり》の材料《ざいりょう》をお買《か》いなさい。そうしてそれを、こっそりあなたの店《みせ》に運《はこ》んでおいて、夜中《よなか》に練習《れんしゅう》してみてください。はじめは、わたしの教《おし》えたとおりにつくるんです。火《ひ》かげんや、分量《ぶんりょう》を、いいかげんにしちゃいけませんよ。仕上《しあ》げの塩《しお》ひとさじ、ワインの一滴《てき》で、料理《りょうり》の味《あじ》は、かわってしまいますからね。しばらくのあいだは、いそがしいですよ。眠《ねむ》るひまも、休《やす》むひまも、ありゃしませんよ。」

しまおは、だまって、いくどもうなずきました。

# 4

さあ、つぎの晩《ばん》から、しまおの勉強《べんきょう》が、はじまりました。

ひらめは、コップの中《なか》で、のべつまくなし、口《くち》をパクパクさせながら、しまおに、さまざまの料理《りょうり》のつくり方《かた》を、教《おし》えました。それは、レストランアカシヤでよく使《つか》われるにわとりやエビや、カキの料理《りょうり》だけではありません。たとえば、カエルのもも肉《にく》の冷製料理《れいせいりょうり》とか、カメのスープ、かものオレンジソースに、

ひばりのロースト、それから、シャケを、パイの皮《かわ》につつんだ料理《りょうり》などです。

ひらめは、そんな料理《りょうり》のつくり方《かた》を、ひと晩《ばん》にひとつずつ、とてもくわしくしゃべりましたから、しまおは、わきめもふらずに、ノートをとらなければなりませんでした。そして、ひらめの話《はなし》がおわると、すぐさま、そのノートを持《も》って、すずかけ通《どお》りの店《みせ》まで行《い》き、おぼえたての料理《りょうり》をつくってみたのです。

しまおは、しんけんでした。火《ひ》かげん水《みず》かげん、塩《しお》のかげんに、コショウのひとふりまで、けっして、いいかげんにはしませんでした。

そうして、わきめもふらず、鼻歌《はなうた》ひとつ

うたわずに料理《りょうり》の練習《れんしゅう》をしましたから、しまおの腕《うで》は、ぐんぐんあがりました。そして、ほんのすこしのあいだに、腕《うで》ききの料理人《りょうりにん》になってしまったのです。ひょっとしたら、レストランアカシヤの料理長以上《りょうりちょういじょう》の腕《うで》だったかもしれません。

けれども、しまおは、けっして、なまいきにはなりませんでした。仲間《なかま》に、自分《じぶん》の腕前《うでまえ》を、ひけらかすどころか、まえとおなじように、骨身《ほねみ》おしまず、下働《したばたら》きを、つづけたのです。

まったく、働《はたら》きづめに働《はたら》いて、眠《ねむ》る時間《じかん》も、休《やす》む時間《じかん》もなくなって、もう、たおれそうになるまで——。

じっさい、しまおは、すこしやせました。顔色《かおいろ》もわるくなり、ときどき、頭《あたま》がふらふらしました。

「あんたは、ほんとに、がんばりやですね。それに正直者《しょうじきもの》だ。昼《ひる》も夜《よる》も、いっしょうけんめいで、ほんとに、気《き》に入《い》りましたよ。」

ある晩《ばん》、ひらめは、そういいました。そしてこんどは、材料《ざいりょう》の仕入《しい》れ方《かた》から、献《こん》立《だて》のたて方《かた》、ワインやデザートの選《えら》び方《かた》、テーブルの上《うえ》の花《はな》のかざり方《かた》まで、くわしく教《おし》えてくれました。

こうして、魚《さかな》の〈講義《こうぎ》〉がすっかりおわったとき、魚《さかな》は、静《しず》かにいいました。

「よくがんばりましたねえ。これで、独立《どくりつ》の準備《じゅんび》は、だいたいできました。開店《かいてん》までには、まだ間《ま》がありますからね、しばらくのあいだ体《からだ》を休《やす》めてください。毎《まい》晩《ばん》たっぷり眠《ねむ》って、力《ちから》をたくわえてください。」

しまおは、ほっとため息《いき》をついて、うなずきました。すると魚《さかな》は、ひょっと思《おも》いだしたように、こんなことをいいました。

「でも、もうひとつだけ、わたしは、あなたにしてあげたいことがあるんです。」

「どんなことだろう……。」

「あなたは、お嫁《よめ》さんをもらう必要《ひつよう》があります。明《あか》るくて気《き》だてがよくて、働《はたら》き者《もの》の娘《むすめ》さんを見《み》つけて、結婚《けっこん》することですよ。」

「……………。」

「レストランは、なんていったって、客商売《きゃくしょうばい》ですからね、いくら料理《りょうり》の味《あじ》がよくても、あいそのいい奥《おく》さんがいないと、うまくいきません。」

しまおは、なるほどと思《おも》いました。けれども、そんな女友《おんなとも》だちなど、しまおには、ひとりもいないのでした。

「それは、とてもむずかしい話《はなし》だよ。」

ぽつりと、しまおがいいますと、魚《さかな》はやわらかいまなざしになって、

「いいえ、こんどは、白樺通《しらかばどお》りへ行《い》ってごらんなさい。」

と、いいました。

「白樺通《しらかばどお》りの、ほら、銀行《ぎんこう》のとなりに、お菓子屋《かしや》があるでしょう？　あすこの地下《ちか》が、ちっちゃい喫茶店《きっさてん》になってましてね。そこで、いつも、ピアノをひいてる娘《むすめ》さんがいます。青《あお》い服《ふく》を着《き》た、なかなか、かわいい子《こ》ですよ。あんな娘《むすめ》さんが、あなたには、にあうと思《おも》いますよ。」

魚《さかな》はまるで、その娘《むすめ》の姿《すがた》が見《み》えるような目《め》をしました。

「ね、あしたにでも、行《い》ってごらんなさい。」

魚《さかな》にすすめられて、しまおは、ためらいました。そんな娘《むすめ》さんが、ほんとうに自分《じぶん》をすきになってくれるかどうか、とても心配《しんぱい》だったのです。

「そのうち……行《い》ってみるよ。」

と、しまおは、小《ちい》さな声《こえ》で答《こた》えました。けれども、いく日《にち》たっても、しまおは、でかけてゆきませんでした。

いつまでもためらっているしまおに、ひらめは、〈善《ぜん》はいそげ〉だとか、〈思《おも》いたったが吉日《きちじつ》〉だとか、古《ふる》いことわざをならべて、せきたてました。

そこで、とうとうある日《ひ》、しまおは、白樺《しらかば》通《どお》りへでかけてゆく気《き》になったのです。

# 5

その日《ひ》は、レストランアカシヤの定休日《ていきゅうび》でした。しまおは、とっておきのシャツを着《き》てネクタイをしめていました。くつも、いいのをはいていました。そうして、そわそわと、並木道《なみきみち》を歩《ある》いてゆきますと、銀行《ぎんこう》のとなりに、上品《じょうひん》な洋菓子《ようがし》をならべた店《みせ》が見《み》つかりました。そして、その横《よこ》のほそい階段《かいだん》をおりてゆきますと、ひらめのいったとおりの喫茶店《きっさてん》がありました。

ほのぐらい小《ちい》さな店《みせ》の中《なか》には、静《しず》かなピアノ曲《きょく》が流《なが》れていました。ちょうど海《うみ》の波《なみ》の音《おと》のようにやさしくこころよく。

ピアノをひいているのは、青《あお》いワンピースの娘《むすめ》でした。ワンピースのえりには、レースがついていて、その上《うえ》に、黒《くろ》い髪《かみ》が波《なみ》うっていました。しまおは、すみっ

この席《せき》にすわりながら、

（青《あお》いひなげしみたいな人《ひと》だ。）

と、思《おも》いました。

紅茶《こうちゃ》をひとつ注文《ちゅうもん》して、しまおは、娘《むすめ》のピアノを聞《き》きました。くりかえし、くりかえし、うっとりと聞《き》きました。そのために、紅茶《こうちゃ》を三回《かい》も、おかわりしました。

けれども、席《せき》を立《た》って、娘《むすめ》のそばへ行《い》く勇気《ゆうき》は、とうとう、わいてきませんでした。

休《やす》みのたびに、しまおは、その喫茶店《きっさてん》へ行《い》きました。そして、すみっこの席《せき》で、

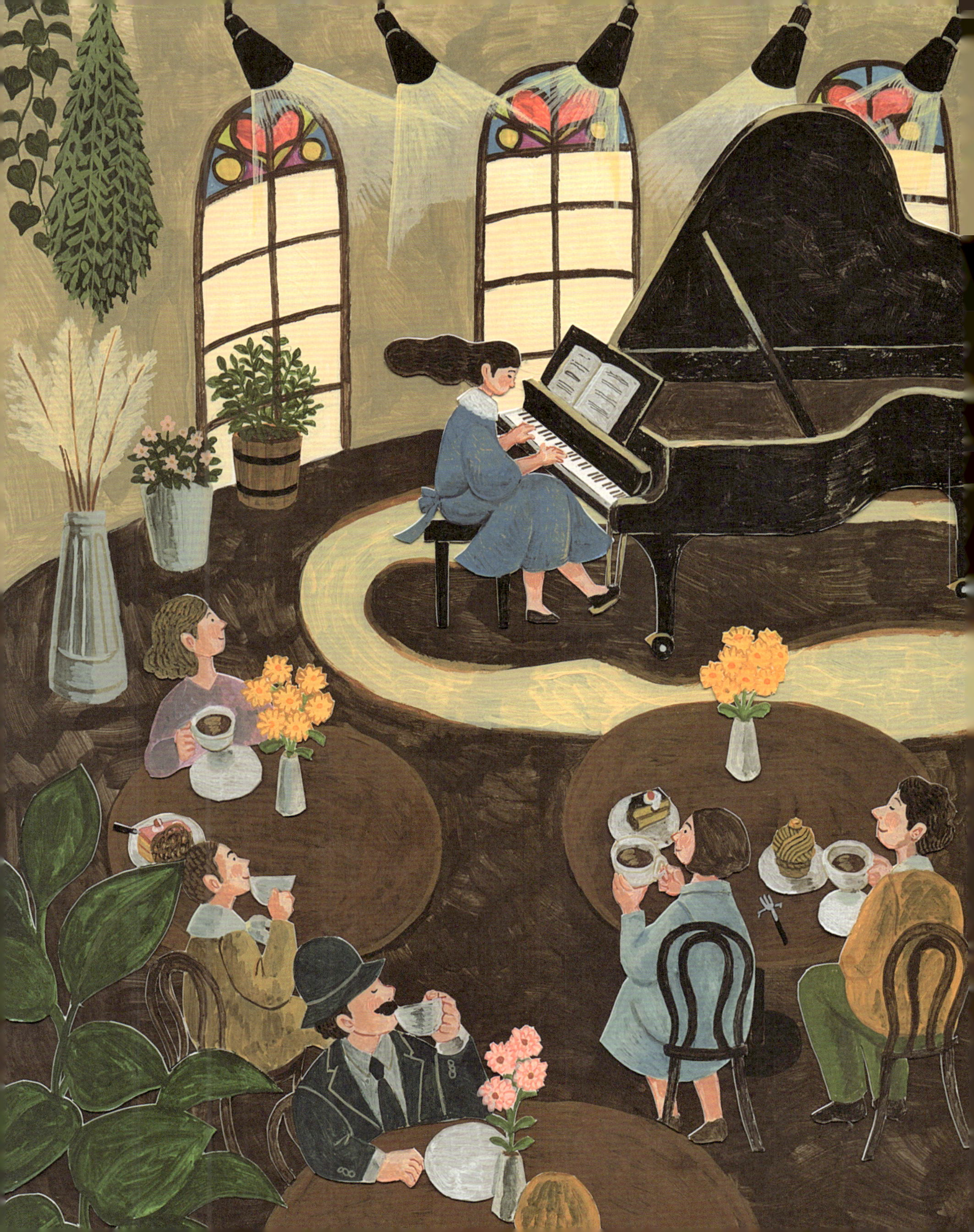

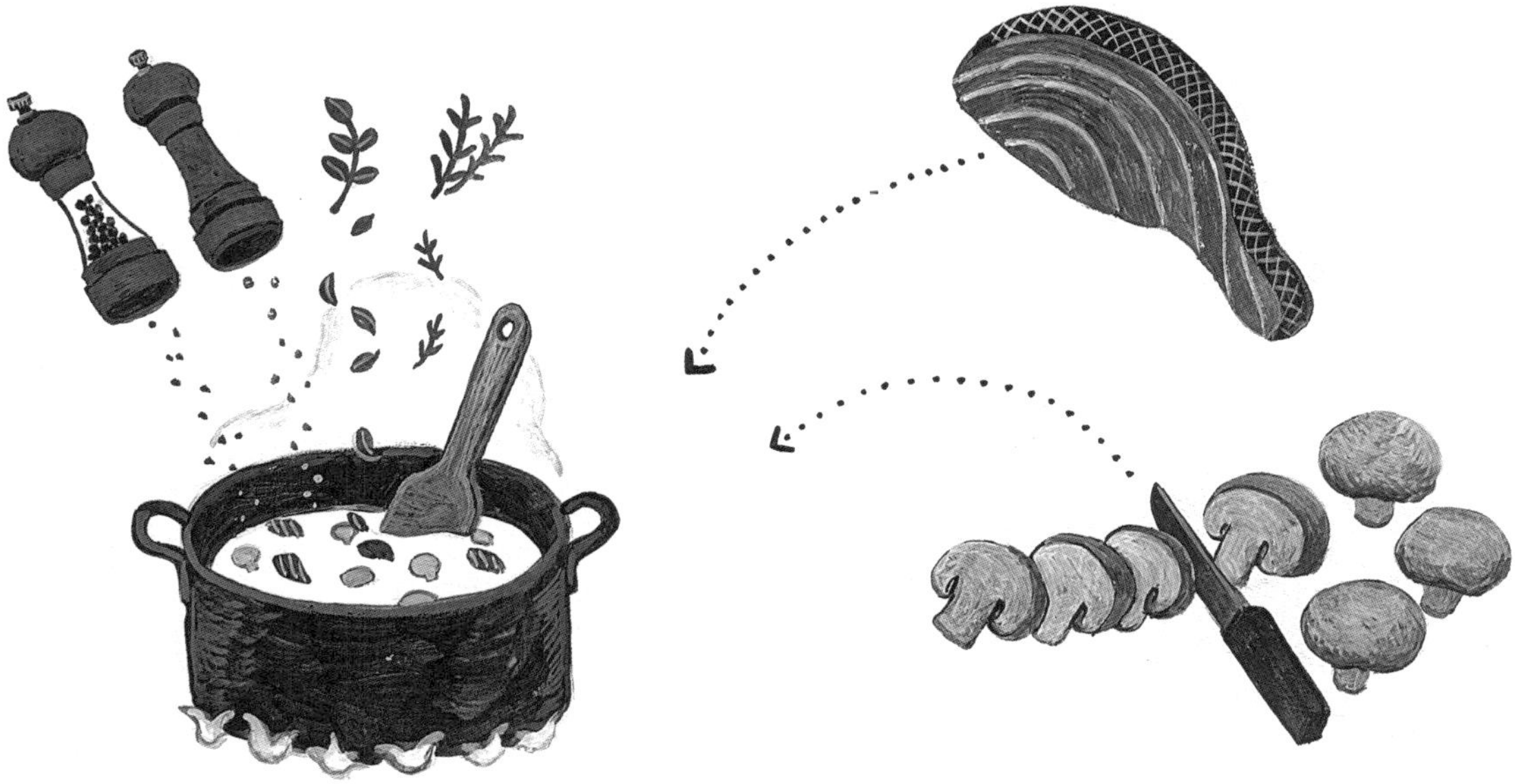

おんなじ紅茶《こうちゃ》を飲《の》みながら、おんなじピアノソナタを、聞《き》いたのです。

「どうですか。ピアノをひく娘《むすめ》さんと、仲《なか》よくなれましたか？」

ある晩《ばん》、ひらめが、しまおにたずねました。しまおは、だまってわらいました。

「すこしは、話《はなし》をしましたか？」

しまおは、首《くび》をふって、小《ちい》さな声《こえ》で、こういいました。

「ぼくは、あの人《ひと》のピアノを聞《き》くだけで、もうじゅうぶんだよ。」

すると魚《さかな》は、

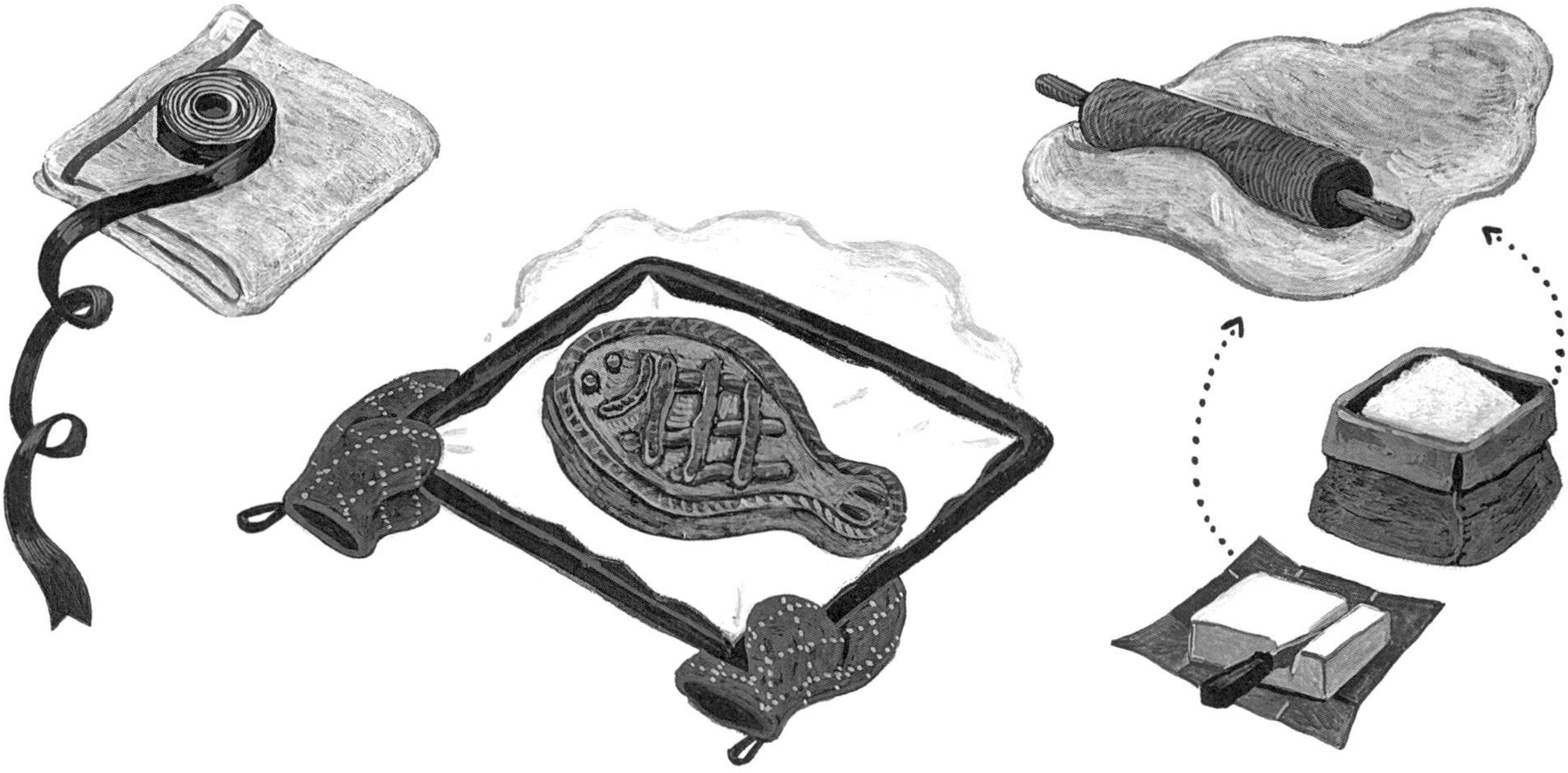

「そんなことじゃ、いけません。」

と、しかりつけるようにいいました。

「勇気《ゆうき》をだして、ぶつかってごらんなさい。そうしないと、チャンスをなくしてしまいますよ。」

「……。」

「いいこと教《おし》えてあげましょう。かわいいパイをひとつ焼《や》いてごらんなさい。つくり方《かた》は、このあいだ教《おし》えましたね。生《なま》のサケと、マッシュルームと、薬味草《やくみそう》を使《つか》います。味《あじ》つけは、ひきたての黒《くろ》コショウと、塩《しお》です。それを、小《ちい》さい魚《さかな》のかたちに焼《や》きあげて、まっ白《しろ》のナフキン

につつむんです。それに、銀《ぎん》のリボンをかけて、ピアノがおわったときに、そっとわたしてごらんなさい。」

しまおは、目《め》を輝《かがや》かせました。料理《りょうり》をつくるのなら、だれにも負《ま》けません。そこでさっそく、すずかけ通《どお》りの自分《じぶん》の店《みせ》にでかけてゆくと、心《こころ》をこめて、パイを焼《や》きました。バターをきざむときも、粉《こな》をこねるときも、しまおは、あのピアノソナタを口《くち》ずさんでいました。

そうして、すばらしくきれいに焼《や》きあげた小《ちい》さなパイを、つぎの休《やす》みの日《ひ》に、しまおは、喫茶店《きっさてん》へ持《も》ってゆきました。そうして、いつものピアノソナタがおわって、青《あお》い服《ふく》の娘《むすめ》が、ピアノの前《まえ》から立《た》ちあがったときに、かけよってわたしたのです。

「ぼくの焼《や》いたパイです。どうぞ食《た》べてみてください。」

とくいの料理《りょうり》を持《も》っていましたから、しまおは、自信《じしん》をもって、ものをいうことができました。青《あお》い服《ふく》の娘《むすめ》は、はじめてしまおを見《み》つめて、花《はな》のようにわらいました。

こうして、しまおは、青《あお》い服《ふく》の娘《むすめ》と、やっと話《はなし》をするようになったのです。

娘《むすめ》の名《な》まえは、あいといいました。

「海《うみ》の色《いろ》の名《な》まえよ」と、ささやいた声《こえ》が、いつまでも、しまおの耳《みみ》に残《のこ》りました。

しまおは、あいのために、いろいろなパイを焼《や》きました。ひらめにおそわったつくり方《かた》を基本《きほん》にして、さまざまの焼《や》き方《かた》を、自分《じぶん》でくふうしましたから、だれも見《み》たことのないような、美《うつく》しいパイが、いくつもできました。

たとえば、きじの肉《にく》のはいった星型《ほしがた》のパイとか、きのこのはいった木《こ》の葉型《はがた》のパイとか、かぼちゃのはいったハート型《がた》のパイです。

あいは、そんなパイを受《う》けとるたびに、ほほをばら色《いろ》に染《そ》めて、

「食《た》べるの、おしいみたい。」

と、いいました。そうしてある日《ひ》、とうとうしまおは、思《おも》いきって、娘《むすめ》に切《き》りだしたのです。

「ねえ、ぼくといっしょになりませんか。ぼくはそのうち、小《ちい》さい店《みせ》を一軒《けん》持《も》ちます。その店《みせ》を、いっしょにやってゆきませんか。」

あいは、大《おお》きな目《め》を見《み》ひらいて、じっとしまおを見《み》つめました。あんまりとつぜんのことで、なにもいえなかったのです。そこで、しまおは、きっぱりと、こういいました。

「ぼくには、海《うみ》の館《やかた》のひらめがついていますから、けっしてあなたを不幸《ふこう》にはさせません。」

「海《うみ》の館《やかた》のひらめですって……。」

娘《むすめ》は、おどろいてさけびました。そして、こんな話《はなし》をしたのです。

「わたし、このごろ毎晩《まいばん》、魚《さかな》の夢《ゆめ》をみるのよ。ふしぎな目《め》をした大《おお》きなひらめが、わたしのところへきて、いつもいうの。もうすぐ、あんたのだんなさんになる人《ひと》が、やってくるよって。その人《ひと》は、きっと、あんたをしあわせにするよって。ああ、あの夢《ゆめ》は、ほんとうだったんだわ……。」

こうして、あいは、しまおの申《もう》し込《こ》みを承諾《しょうだく》しました。

さあ、これで、願《ねが》いは、すっかりかないました。しまおは、店《みせ》を一軒持《けんも》ち、すばらしい料理《りょうり》の腕《うで》を身《み》につけ、そして、かわいいお嫁《よめ》さんまで、さがしあてたのです。

あいとふたりで、おいしい夕食《ゆうしょく》を食《た》べて、こころゆくまで話《はなし》をして、白樺通《しらかばどお》りと、すずかけ通《どお》りと、アカシヤ通《どお》りを散歩《さんぽ》してから、しまおは、自分《じぶん》のへやに、ひとり、もどりました。

足《あし》どりも軽《かる》く、屋根裏《やねうら》べやにもどると、しまおは、窓《まど》べのコップに近《ちか》よって、ひらめに話《はな》しかけました。

「ありがとう、ひらめさん。とうとう、結婚《けっこん》の約束《やくそく》をしたよ。」

ひらめは、やさしい目《め》をして、うなずきました。

「よかったですね。わたしの仕事《しごと》も、これでおわりました。あとは、自分《じぶん》の力《ちから》でやってください。ひとり立《だ》ちしたといっても、まだまだ、たいへんですよ。借金《しゃっきん》がたくさんあるし、自力《じりき》で店《みせ》を一軒《けん》やってゆくとなると、やはり苦労《くろう》が、つきまといます。でも、正直《しょうじき》に、まじめに働《はたら》いていけば、きっと、きりぬけられます。それでも、どうにもならないときは、海《うみ》の館《やかた》のひらめのことを思《おも》いだしてごらんなさい。わたしは遠《とお》くでちゃんと、あなたたちを、まもっていますから。」

そういったかと思《おも》うと、ひらめの目《め》は、みるみるうちに白《しろ》くなり、死《し》んだ魚《さかな》の目《め》にかわっていきました。

まもなく、しまおは、レストランアカシヤを、やめました。

それから、あいと、ささやかな結婚式《けっこんしき》をあげて、すずかけ通《どお》りの新《あたら》しい店《みせ》へうつってゆきました。新《あたら》しい店《みせ》の、開店《かいてん》の準備《じゅんび》をすませたあと、ふたりは、海《うみ》へ行《い》きました。

もちろん、あのひらめの骨《ほね》を、海《うみ》へかえしてやるためです。

ふたりは、小《ちい》さな舟《ふね》にのって、沖《おき》へ出《で》ました。そして、まっ白《しろ》いナフキンにつつんだ骨《ほね》を、海《うみ》の水《みず》にうかべて、心《こころ》から、「ありがとう」と、いいました。

## 安房直子（あわ なおこ）

東京都に生まれる。日本女子大学在学中より、
山室静氏に師事。大学卒業後、同人誌『海賊』に参加。
1982年、『遠い野ばらの村』（筑摩書房）で
野間児童文芸賞、1985年、『風のローラースケート』
（筑摩書房）で新美南吉児童文学賞、
1991年、『花豆の煮えるまで』でひろすけ童話賞を受賞。
1993年、肺炎により逝去。享年50歳。
没後も、その評価は高く、『安房直子コレクション』全7巻
（偕成社）が刊行されている。

## くの まり

イラストレーター／絵本作家。MJイラストレーションズ卒業。
主に広告・書籍・グッズ・絵本などを手がけている。
国内外で展示。装画の仕事に『ライオンのおやつ』
（作・小川糸／ポプラ社）など、
絵本作品に『のせのせ せーの！』（文・斉藤倫 うきまる／
ブロンズ新社）『おなかのなかのあかちゃんへ』
（文・こがようこ／岩崎書店）がある。



本書に収録した作品テクストは、下記を使用しました。
『安房直子コレクション2 見知らぬ町ふしぎな村』（偕成社）

安房直子 絵ぶんこ⑧
# 海の館のひらめ

2024年8月30日　初版発行

安房直子・文
くの まり・絵

発行所／あすなろ書房
〒162-0041　東京都新宿区早稲田鶴巻町551-4
電話03-3203-3350（代表）
発行者／山浦真一

装丁／タカハシデザイン室
印刷所／佐久印刷所
製本所／ナショナル製本




ISBN978-4-7515-3208-9　NDC913　Printed in Japan